COLLECTION **KLAXON**

Maman va eXploser

Texte et illustrations
Fabrice Boulanger

LES ÉDITIONS DE LA
BAGNOLE

Depuis quelque temps, maman mange énormément.
Pas moyen de l'arrêter. Elle dévore tout ce qu'elle trouve.

Je lui ai dit :

— Maman, tu grossis, bientôt tu ressembleras
à mon hippo !

Rien à faire, elle mange encore plus !

J'ai prévenu papa :

— Pssst... Maman est vraiment bizarre ! Faudrait peut-être faire quelque chose.

Il a souri en me disant qu'il ne fallait pas s'inquiéter...

mais je crois que papa n'a pas encore vu
maman essayer de mettre ses souliers!

La semaine passée, après avoir englouti son souper,
elle a été malade toute la soirée.
Forcément, à s'empiffrer comme ça !

Elle n'arrive même plus à se coucher sans l'aide...
d'une tonne d'oreillers! Ça devient gênant...

Une nuit, alors que j'allais faire pipi,
je l'ai surprise la tête dans le frigo.

Elle avait du chocolat jusqu'aux oreilles!

— Maman, tu finiras par éclater!

— Papa, je ne veux pas que mes copains la voient comme ça! Il faudrait vraiment faire quelque chose...

Maintenant, elle est vraiment grosse.
À côté d'elle, mon hippo a l'air d'un asticot !

Au déjeuner,
je lui ai annoncé:
— À partir
d'aujourd'hui,
c'est pain sec
et verre d'eau.
Le chocolat,
on oublie ça!

Rien à faire. Après ce bon repas,
son pantalon a fait PAF!
J'ai crié:

Maman va
exploser!

Papa est arrivé à toute vitesse.

— On file à l'hôpital.

Ouf! Papa prend enfin les choses en main.

Ce soir, maman va mieux, elle a perdu ses kilos.
Ce n'est pas trop tôt!

Papa m'a expliqué pourquoi
maman mangeait pour deux.
C'était à cause de la surprise qu'elle
cachait dans son ventre.

Et quelle surprise! Toute jolie,
avec de grands yeux, de grosses joues et...

un énorme appétit.

DANS LA MÊME COLLECTION

Ce qui arriva à Chloé et Mélina un jeudi après-midi
Chapeau Charlotte !
Les défis de Jules
Deux biscuits pour Sacha
Émilie la Mayou
Les Enfants de la table ronde
Matisse et les vaches lunaires
Miro et les canetons du lac Vert
Sacha et son Sushi
Un secret pour Matisse
Une Charlotte au chocolat

DISTRIBUTION EN AMÉRIQUE DU NORD

Canada et États-Unis :
Messageries ADP
2315, rue de la Province
Longueuil (Québec) J4G 1G4
Pour les commandes : 450 640-1237
www.messageries-adp.com

DISTRIBUTION EN EUROPE

France :
INTERFORUM EDITIS
Immeuble Paryseine
3, Allée de la Seine
94854 Ivry-sur-Seine Cedex
Pour les commandes : 02.38.32.71.00
www.interforum.fr

Belgique :
INTERFORUM BENELUX SA
Fond Jean-Pâques, 6
1348 Louvain-La-Neuve
Pour les commandes : 010.420.310
www.interforum.be

Suisse :
INTERFORUM SUISSE
Route A.-Piller, 33 A
CP 1574
1701 Fribourg
Pour les commandes : 026.467.54.66
www.interforumsuisse.ch

Catalogage avant publication de Bibliothèque et Archives nationales du Québec

Boulanger, Fabrice

Maman va exploser

(Collection Klaxon)
Édition originale : Laval, Québec, Éditions Lauzier, 2006.
Publié à l'origine dans la collection Lauzier jeunesse.
Pour enfants de 3 à 7 ans.

ISBN 978-2-923342-45-0

I. Titre. II. Collection : Collection Klaxon.

PS8553.O838M34 2010   jC843'.54   C2010-941515-9
PS9553.O838M34 2010

Maman va exploser
a été publié sous la direction
de **Jennifer Tremblay**

CONCEPTION GRAPHIQUE
Folio infographie

IMPRESSION
Lithochic

© 2010 Fabrice Boulanger
et les Éditions de la Bagnole
Tous droits réservés
ISBN 978 2-923342-45-0
Dépôt légal 4e trimestre 2010
Bibliothèque et Archives nationales du Québec

LES ÉDITIONS DE LA BAGNOLE
1209, avenue Bernard Ouest, bureau 200
Montréal (Québec) H2V 1V7
leseditionsdelabagnole.com

Les Éditions de la Bagnole reconnaissent l'aide financière du gouvernement du Canada par l'entremise du Programme d'aide au développement de l'industrie de l'édition (PADIÉ) pour leurs activités d'édition. Les Éditions de la Bagnole remercient de leur soutien financier le Conseil des Arts du Canada et la Société de développement des entreprises culturelles du Québec (SODEC). Les Éditions de la Bagnole bénéficient du Programme de crédit d'impôt pour l'édition de livres du gouvernement du Québec, géré par la SODEC.

Merci à Michel Therrien pour sa précieuse collaboration.

 Imprimé au Québec